Anna,7Jahre

Von Hans Peterson
Bilder von Ilon Wikland
Aus dem Schwedischen
von Angelika Kutsch

CARLSEN
LERNE LESEN

2. Auflage in Druckschrift 1987
Alle deutschen Rechte bei Carlsen Verlag GmbH, Reinbek 1987
Originaltextcopyright: © 1982 by Hans Peterson
Originalbildcopyright: © 1982 by Ilon Wikland
Originalverlag: Almquist & Wiksell Läromedel, Stockholm
Originaltitel: ANNA 7 ÅR
Aus dem Schwedischen von Angelika Kutsch
Lektorat: Ursula Heckel
Coproduktionsrechte durch Kerstin Kvint,
Literatur- und Coproduktionsagentur, Stockholm/Schweden
Einband von Jan Buchholz, unter Verwendung
einer Illustration von Ilon Wikland
05098755 · ISBN 3-551-53162-5
Printed in Denmark

Anna wohnt in einer großen Stadt in Schweden. Durch die Stadt fließt ein Fluß, und an dem Fluß ist ein Hafen. In der Stadt gibt es Plätze und Parks und Straßen mit Bäumen und Läden und mehrere Kaufhäuser.

Anna wohnt in einem hohen Haus. Dort lebt sie mit ihrer Mama und ihrem Bruder Ola. Annas Papa ist schon vor vielen Jahren ausgezogen; aber Erik wohnt bei ihnen, Mamas Freund.
Die Wohnung hat drei Zimmer, Küche, Flur und Bad. Und einen Balkon.

Annas Opa ist tot. Die Oma wohnt am anderen Ende der Stadt. Wenn man dorthin will, muß man erst mit dem Bus und dann mit der Straßenbahn fahren.

Anna geht schon in die Schule, in die erste Klasse, zusammen mit ihrer Freundin Lena. Die beiden kennen sich schon, seit sie ganz klein waren und auf dem Fußboden herumgekrochen sind. Denn sie wohnen im selben Haus. Manchmal zanken sie sich. Dann spielt Anna mit jemand anderem. Aber am liebsten spielt sie mit Lena, und Lena spielt am liebsten mit Anna.

Und das ist die ganze Familie:
Anna, Ola,
Mama und Erik.

Es ist Sonntag. Mama und Erik
müssen nicht arbeiten, und Oma ist
zum Kaffee zu Besuch gekommen.

In dem gelben Haus mit
den grünen Balkons
wohnen Anna und Lena.
Es steht in einer ganz
ruhigen Straße, in der man
prima spielen kann.

Aber wenn man die Treppe
hinuntergeht, kommt man
an eine Straße mit viel
Autoverkehr. Dort spielen
Anna und Lena nie.

Natürlich kann Anna sich allein anziehen.
Fast jedenfalls. Sie geht ja auch schon zur
Schule. Und wenn sie mal zwei verschiedene
Socken angezogen hat, sagt sie einfach, daß
sie das aus Spaß getan hat.
Den Zopf muß Mama ihr flechten. Aber die
Schleife sucht Anna immer selbst aus.

Lena ist oft zu Hause bei Anna. Manchmal liest Ola ihnen eine Geschichte vor. Er kann schon viel schneller lesen als Anna und Lena. Aber am liebsten liest er still für sich. Dann vergißt er ganz, wo er ist, und Anna und Lena müssen laut brüllen, damit er sich an sie erinnert.

Mama und Erik arbeiten beide. Und beide fahren Auto. Mamas Auto ist gelb. Sie ist Taxifahrerin und kennt alle Straßen der Stadt.

Eriks Auto ist grau. Er fährt ein Polizeiauto.
Darauf steht »Polis«, so heißt die Polizei
nämlich in Schweden. Wenn Mama und Erik
sich unterwegs begegnen, winken sie sich
fröhlich zu.

Am anderen Ende der Stadt hat
Oma einen Blumenladen. Anna
besucht sie gern in ihrem Laden. Es
riecht so gut nach all den Blumen.
Und Oma weiß, wie jede Blume
heißt.
Manchmal darf Anna ihr helfen, die
Blumen zu begießen. Es macht auch
gar nichts, wenn sie danebengießt.
Der Fußboden ist ja aus Stein.

Wenn Anna aufsteht, ist sie ganz munter.
Dann möchte sie sofort viele Sachen auf
einmal tun: spielen und lesen und
frühstücken.

»Beeil dich, Anna!« ruft Mama aus dem
Badezimmer.

Dann beeilt Anna sich mit allem: mit dem
Spielen und dem Lesen und dem
Frühstücken. Dabei ist ihr einmal in der Eile
ein Butterbrot auf den Pullover und dann auf
die Hose gefallen.

Wie praktisch, hat Anna gedacht, jetzt
brauch ich kein Pausenbrot mit in die Schule
zu nehmen. Es klebt ja schon an mir dran.

Es ist gut, daß Anna und
Lena im selben Haus
wohnen. So brauchen sie
nicht allein über die große
Straße zu gehen und können
aufeinander aufpassen.
Sie warten immer so lange,
bis die Ampel für die
Fußgänger Grün zeigt.

Danach ist es ganz einfach.
Sie gehen durch einen
kleinen Park. Manchmal
treffen sie ein Eichhörnchen,
das möchte gern Nüsse
haben. Aber Anna und Lena
haben nicht jeden Tag Nüsse
in der Tasche.

Meistens ist Anna fröhlich und singt
und lacht. Aber manchmal kann sie
richtig böse werden. Dann schreit
und brüllt sie und knallt die Türen.
Sie stampft auf der Treppe, damit
alle im Haus hören, wie böse sie ist.
Alle sind blöd. Nur Anna nicht.
Niemand versteht sie.
Und eigentlich versteht sie sich
selbst nicht.

Anna und Lena haben immer was
zu tun. Wenn sie nicht spielen, dann
lesen sie, und wenn sie nicht lesen,
dann malen sie, und wenn sie nicht
malen, dann denken sie nach.

»Ein Pferd ist groß, wenn man eine
Katze ist«, sagt Anna.
»Ein Pferd ist klein, wenn man ein
Elefant ist«, sagt Lena.
»Eine Katze ist groß, wenn man eine
Ameise ist«, sagt Anna.
»Eine Katze ist klein, wenn man ein
Pferd ist«, sagt Lena.
Dann lachen sie und freuen sich,
daß sie selber jedenfalls schon ganz
schön groß sind.

Anna und Ola wohnen in
einem Zimmer. Eine Ecke
gehört Anna. Dort stehen
Annas Bett, ein Tisch und ein
Regal mit ihren Büchern. Auf
dem Tisch macht Anna ihre
Schularbeiten. Manchmal
muß Ola ihr helfen. Aber ein
Bild malen kann Anna schon
ganz allein.
»So ein schönes Bild!« sagt
Ola.
»Ich schenk es dir«,
antwortet Anna.

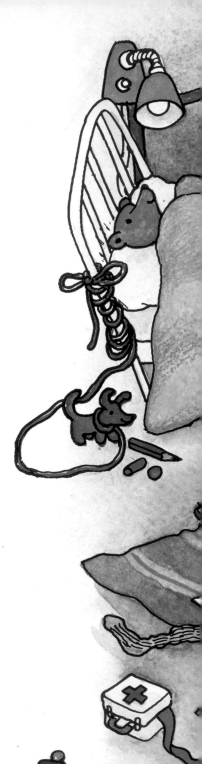

Am Samstag sind alle mit Saubermachen
beschäftigt. Nur Anna nicht.
Ola saugt die Teppiche, Erik wäscht die
Wäsche, Mama wischt Staub.
Anna sitzt auf dem Fußboden und zeichnet
ein Bild für Oma.

Anna und Ola spielen Hund.
Anna ist ein kleiner Hund, Ola ist ein großer
Hund.
Anna ist ein starker Hund. Sie knurrt
ganz tief, damit der große Hund sich fürchtet.
Der große Hund hat aber keine Angst. Er
schnuppert an ihrem Ohr. »Schniff, schniff«,
macht er.
Das kitzelt am Ohr.
Da muß der kleine Hund so lachen, daß er
einen Schluckauf kriegt.

Eines Tages steht Anna auf einer
Wiese. Es ist fast dunkel. Aber es ist
immer noch warm, und es regnet ein
bißchen.

Und Anna träumt.
Ich bin ein Baum, denkt sie. Meine
Zehen sind die Wurzeln, die sich ins
Gras bohren. Meine Beine sind der
Stamm, meine Arme die Äste und
meine Finger die Zweige.
Wenn der Wind weht, schaukle ich hin
und her, vor und zurück. So.
Und das ist schön …

Zu Weihnachten hat Anna
von Oma ein Tagebuch
geschenkt bekommen.
Anna kann aber noch nicht
alle Wörter schreiben.
Deshalb malt sie auf, was
sie in den Winterferien
erlebt.

Am Dienstag tobt ein
Sturm über der Stadt.

Am Mittwoch ist es
bitterkalt.

Am Donnerstag schneit es.
Freitag schneit es immer
noch.

Am Samstag schenkt Ola
Anna seine alten Skier.

Am Sonntag fährt Erik mit Anna aufs Land. Dort üben sie den ganzen Tag Ski fahren.

Und am Montag tun Anna die Beine so weh, daß Erik sie zur Schule fahren muß.

Anna weiß schon eine Menge. Aber
sie weiß noch lange nicht alles. Sie
weiß nicht, wer bestimmt, daß Blau
Blau heißt, daß Stuhl Stuhl und
Auto Auto heißt.
Und warum heißt die Kiefer nicht
Tanne?

Es gibt Tage, da möchte Anna alles
wissen. Dann fragt sie und fragt.
»Mama, wer hat bestimmt, daß
Weihnachten Weihnachten heißt?«
Mama weiß es nicht.
»Mama, wer hat bestimmt, daß
Sommer Sommer heißt? Und
warum heißt die Zwiebel nicht
Erdbeere?«
Mama weiß es nicht.
»Mama, wer hat bestimmt, daß Ola
Ola heißt, und warum heiße ich
Anna und nicht Pferd?«
Mama lacht. Endlich weiß sie eine
Antwort.
»Das war ich. Ich hab bestimmt,
daß du Anna heißen sollst.«

Alle Leute warten auf den Frühling, auf die
Sonne und die Blumen. Anna wartet auf den
Frühling, weil sie dann Geburtstag hat.
Im April wird sie acht Jahre alt.
»Dann bist du ein großes Mädchen«,
sagt Mama. »Du darfst dir etwas Besonderes
wünschen.«
»Ich wünsche mir einen Hund, zwei Katzen,
drei Pferde, vier Affen, fünf Elefanten, sechs
Schweine, sieben Kühe, acht Lämmer, neun
Hühner und zehn Kamele«, sagt Anna.
»Dann wünsch ich mir, daß du nie ein
großes Mädchen wirst«, sagt Ola. »Für mich
ist sonst kein Platz in der Wohnung.«
»Also gut«, sagt Anna. »Ich wünsche mir
nur neun Kamele. Ich möchte nämlich, daß
du bleibst. Aber groß werde ich trotzdem!«